Jill i zaczarowana fasola

Jill and the Beanstalk

by Manju Gregory
illustrated by David Anstey

Polish translation by Sophia Bac

Jaś z siostrzyczką Jill wspinał się na wzgórze.
Jaś ze wzgórza spadł i teraz leży chory.
Nie ma już co jeść i wszyscy smucą się,
a wszystko to przez olbrzyma, który pożarł im ojca.

Jack climbed a hill with his sister Jill.
Jack fell down and now he's ill.
There's nothing to eat, they're feeling sad,
If only the Giant hadn't swallowed their dad.

Mama Jill spytała: - A może byś tak
sprzedała naszą krowę i zebrała trochę pieniędzy?

Mum asked Jill, “Do you think somehow
You could raise money selling our cow?”

Jill nie uszła daleko, gdy przy przełazie napotkała starca.
- Zamień tę garść fasoli na krowę – powiedział.
- Fasolę za krowę! – krzyknęła Jill. – Czy straciłeś głowę?
Starzec tłumaczył – To czarodziejska fasola.
Ona przynosi dary, jakich nigdy jeszcze nie widziałaś.

Jill had barely walked a mile when she met a man beside a stile.
"Swap you these beans for that cow," he said.
"Beans!" cried Jill. "Are you off your head?"
The man explained, "These are magic beans. They bring you gifts you've never seen."

Jill wzięła fasolę, by pokazać mamie,
która głośno krzyknęła - powinnam była
wysłać mojego syna!
Ze złością rzuciła fasolę pod nogi Jill
i wysłała ja spać bez kolacji.

Jill took them home to show her mum
Who cried out loud, "I should have sent my son!"
She threw the beans down at Jill's feet
And sent her to bed with nothing to eat.

Jill obudziła się o świcie i zastała wielką niespodziankę.
Łodyga fasoli wyrosła tak wysoko, że dotykała nieba.
Mocno trzymając się łodygi i kurczowo chwytając się liści,
Jill wspinała się po kołyszącej się na wietrze fasoli.

Early to bed, early to rise,
Jill woke up at dawn with a mighty surprise.
A beanstalk had grown right up to the skies.
Catching hold of the stalk, clinging fast to the leaves,
She climbed the great plant as it swayed in the breeze.

Jill usłyszała krzyk swojej matki
- Wracaj natychmiast i pilnuj brata! – wołała.
Lecz Jill nie zatrzymując wspinała się
coraz to wyżej, aż na sam wierzchołek.

Jill heard a shout, it was her mother!
"Come down at once, look after your brother!"
But Jill just kept on climbing, she didn't stop,
All the way upwards, right to the top.

Jill zeskoczyła z fasoli i usłyszała głośny płacz.
Mała pastereczka nawoływała swoje owieczki.
- One gdzieś powędrowały, gdy się zdrzemnęłam.
- Gdzie ja jestem? – zapytała Jill.

She leapt off the beanstalk, and heard a loud weep.
A little girl cried, "Oh, where are my sheep?
They've wandered away while I was asleep."
"Where am I?" asked Jill.

- Znajdujesz się w krainie olbrzyma.
Przyszłaś tutaj, żeby się na nim zemścić, czy mu przebaczyć?
Z machnięciem mojego kija pastuszego, wbierz swój los.
Chcesz wracać z powrotem, czy stanąć u wrót olbrzyma?

“You’re in the land where the Giant lives.
Did you come to avenge or come to forgive?
With a wave of my crook now choose your fate,
Back down the beanstalk or onto the Giant’s Gate?”

Jill stanęła przed domem olbrzyma.
Czuła się jak malutka przestraszona myszka.
Stała tam jakaś dziwna starsza kobieta,
która wymiatała pajęczyny z nieba.
- Mała dziewczynko, po co tu przyszłaś?

Jill stood in front of the Giant's house
Feeling tiny and scared like a quivering mouse.
A strange old woman was standing by,
Brushing cobwebs out of the sky.
"Little girl, why are you here? Why, oh why?"

Gdy tak przemówiła, ziemia zadrżała z hukiem podobnym do trzęsienia ziemi.
Kobieta powiedziała – Szybko, wejdź do środka. Jest tylko jedna kryjówka... w piecu!
Jeśli nie chcesz zginąć, siedź tu cichutko jak myszka i nie odzywaj się ani słowem.

As she spoke the ground began to shake, with a deafening sound like a mighty earthquake.
The woman said, "quick run inside. There's only one place…in the oven you'll hide!
Take barely one breath, don't utter a sigh, stay silent as snow, if you don't want to die."

Jill przykucnęła w piecu i zastanawiała się, cóż ona zrobiła. Żałowała, że nie jest w domu z mamą.
Wnet odezwał się olbrzym - Czuję krew ludzkiej istoty!
- Ależ mężu, to tylko przepiórki w cieście, które upiekłam. Aż dwa tuziny spadły nam z nieba.

Jill crouched in the oven. What had she done? How she wished she were home with her mum.
The Giant spoke, "Fee, fi, faw, fum. I smell the blood of an earthly man."
"Husband, you smell only the birds I baked in a pie. All four and twenty dropped out of the sky."

Olbrzym wrzasnął – Nie mam ochoty na twoje
wyszukane potrawy. Ja potrzebuję porządnie zjeść.
Idź do kuchni i przynieś mi moją pieczeń!
Przez uchylone drzwiczki Jill przyglądała się,
jak olbrzym pożerał pieczonego dzika.

The Giant bawled, “I have no wish to even try your dainty dish.
Wife, I need to eat. Go to the kitchen and fetch me my meat!”
From a gap in the oven door, Jill watched the Giant devour a wild boar.

Olbrzym usiadł prosto i nie będąc w najlepszym nastroju,
wrzasnął – Przynieś mi moją gęś, i to szybko!
Zamknął oczy, gdy odezwał się tymi słowy – Gąsko, znieś jajo!
Ku wielkiemu zdziwieniu Jill, mała gąska zniosła złote jajo.
Olbrzym świetnie się bawił, licząc jaja ze szczerego złota.
Wkrótce potem usnął i zaczął chrapać jak potężny lew.

The Giant sat back, he wasn't happy.
He bellowed: "Get me my goose,
and make it snappy."
Saying, "Goose deliver," he closed his eyes.
It lay a bright golden egg,
much to Jill's surprise.
The Giant had a lot of fun,
Counting solid gold eggs one by one.
Then he fell asleep and started to snore
Sounding just like a mighty lion's roar!

Mum

Gdy olbrzym zasnął, Jill wiedziała, że może już uciec.
Ostrożnie wyszła z pieca, ale przypomniała sobie,
co uczynił jej przyjaciel Tom.
Gdy uciekał, wykradł też prosiaka.
Chwyciwszy więc gęś pod pachę, Jill zaczęła uciekać.
„Muszę jak najszybciej dobiec do fasoli” – myślała.

Jill knew she could escape while the Giant slept.
So carefully out of the oven she crept.
Then she remembered what her friend, Tom, had done.
Stole a pig and away he'd run.
Grabbing the goose, she ran and ran.
"I must get to that beanstalk as fast as I can."

Zjechała na dół po łodydze wołając - Jestem w powrotem.
Matka z Jasiem wyszli z domu z powitaniem.

She slid down the stalk shouting, “I’m back!”
And out of the house came mother and Jack.

- Okropnie się o ciebie martwiliśmy. Jak mogłaś tak wspiąć się po tej fasoli aż do samego nieba?
- Ależ mamo – odpowiedziała Jill. Nic mi się nie stało. I spójrz, co ze sobą przyniosłam.
- Gąsko, znieś jajo – Jill powtórzyła słowa wypowiadane przez olbrzyma.
I gąska natychmiast zniosła lśniące złote jajo.

"We've been worried sick, your brother and I. How could you climb that great stalk to the sky?"
"But Mum," Jill said, "I came to no harm. And look what I have under my arm."
"Goose deliver," Jill repeated the words that the Giant had said,
And the goose instantly laid a bright golden egg.

Wyprawa Jill do domu olbrzyma wyratowała jej rodzinę z głodu i rozpaczy.

Jill's visit to the Giant's lair kept her family from hunger and despair.

Jaś natomiast stał się bardzo zazdrosny o swą siostrę.
Żałował, że zamiast wspinać się po łodydze fasoli,
wspinał się na wzgórze.
Jaś lubił się przechwalać i często powtarzał,
że gdyby to on spotkał olbrzyma, to z pewnością uciąłby mu głowę.

Jack couldn't help feeling envious of his sister Jill.
He wished he'd climbed a beanstalk instead of a hill.
Jack boasted a lot and often said
If he'd met the Giant he would've chopped off his head.

Matka wielokrotnie ostrzegała ich,
żeby nie wspinać się po łodydze fasoli,
ale Jill z kolei znudziło się czcze gadanie Jasia.
Pewnego dnia w sprytnym przebraniu,
Jill wspięła się po fasoli i dotarła aż do nieba.

Their mother had warned them not to climb that stalk
But Jill was fed up with Jack's idle talk
One day, in clever disguise, Jill climbed up the beanstalk
And reached the skies.

Stara kobieta siedziała smutna przy bramie.
Okrutny olbrzym traktował ją bardzo źle.
Od dnia, w którym wykradziono mu gęś,
stawał się coraz to bardziej zgryźliwy.

The old woman sat by the gate looking sad,
The evil Giant treated her bad, very bad.
He'd become more gruesome by the day,
Since his goose had been stolen away.

Żona olbrzyma nie poznała Jill.
Lecz wkrótce usłyszała odgłos ciężkich kroków, nadchodzących od strony wzgórza.
- To olbrzym – krzyknęła. – Jeśli poczuje twoją krew, na pewno cię zabije!

The Giant's wife didn't recognise Jill,
But she heard the sound of thundering footsteps coming down the hill.
"The Giant!" she cried. "If he smells your blood now, he's sure to kill."

- Tik-tak, tik-tak, tik-tak.
Schowaj się szybko w zegarze!

"Hickory dickory dock,
Quick, go hide in the clock!"

- Czuję krew ludzkiej istoty. Nieważne, czy jest żywa lub martwa, ja i tak utnę jej głowę! – powiedział olbrzym.
- To tylko świeżo upieczone ciasteczka. Pożyczyłam przepis od Królowej Serc.
- Ale żono ja potrzebuję porządnie zjeść. Idź do kuchni i przynieś mi moją pieczeń!

"Fe fi faw fum, I smell the blood of an earthly man.
Let him be alive or let him be dead, I'll chop off his head," the Giant said.
"You smell only my freshly baked tarts, I borrowed a recipe from the Queen of Hearts."
"I'm a Giant, wife, I need to eat. Go to the kitchen and get me my meat."

Tak samo jak poprzednio olbrzym zjadł całą pieczeń.
Po godzinie wołał już o następną porcję.
Jego żona wniosła przecudowną,
szczerozłotą harfę z setką strun.
Olbrzym ze znudzenia zażądał, aby mu zagrano.
I wnet harfa zaczęła grać.

The Giant gorged on beast as before.
One full hour passed by, then he called for more.
His wife brought in a harp, the most magnificent of things,
Made out of pure gold with a hundred strings.
The Giant yelled: “Play,” he was feeling bored.
The harp instantly played of its own accord.

Zagrała mu kołysankę tak słodko i spokojnie, że olbrzym wkrótce usnął.
Jill bardzo spodobała się harfa, która sama wygrywała najprzeróżniejsze melodie.
Bezszelestnie wymknęła się z zegara i chwyciła złotą harfę, podczas gdy olbrzym ucinał sobie drzemkę.

A lullaby so calm and sweet, the lumbering Giant fell fast asleep.
Jill wanted the harp that played without touch. She wanted it so very much!
Out of the clock she nervously crept, and grabbed the harp of gold whilst the Giant slept.

Biegnąc w kierunku fasoli, Jill potknęła się o psa, który w kółko uganiał się za swoim ogonem.
Gdy tylko harfa zawołała – Panie! Panie! – olbrzym obudził się, wstał i pobiegł za nią.
Jill wiedziała, że będzie musiała uciekać co sił w nogach.

To the beanstalk Jill was bound, tripping over a dog, running round and round.
When the harp cried out: "MASTER! MASTER!" The Giant awoke, got up and ran after.
Jill knew she would have to run faster and faster.

Olbrzym zawył z wściekłości – Myślisz, że uda ci się uciec!
Spójrz, co stało się z Tomem, synem kobziarza.
Lecz Jill biegła jak najszybciej w kierunku fasoli,
mocno trzymając harfę.

The Giant howled, "So you think you can run!
Look what happened to Tom, the piper's son!"
Holding onto the harp, Jill ran and ran,
"I must get to that beanstalk as fast as I can."

Jill zjechała po łodydze, ale harfa dalej wołała – Panie! Okropny olbrzym pędził za nią, aż trzęsła się ziemia. Wtedy Jill chwyciła siekierę i najszybciej jak tylko mogła, zaczęła ścinać łodygę fasoli.

She slid down the stalk, the harp cried: "MASTER!"
The great ugly Giant came thundering after.
Jill grabbed the axe for cutting wood
And hacked down the beanstalk as fast as she could.

Z każdym zbliżającym się krokiem, łodyga fasoli trzeszczała coraz bardziej.
W końcu Jill ścięła całą fasolę i olbrzym runął z hukiem!
Jaś, Jill i matka patrzyli ze zdziwieniem, jak olbrzym zapadł się pod ziemię.

Each Giant's step caused the stalk to rumble. Jill's hack of the axe caused the Giant to tumble.
Down down the Giant plunged!
Jack, Jill and mum watched in wonder, as the giant CRASHED, ten feet under.

Wszyscy troje spędzają teraz swoje dni,
śpiewając piosenki, do których przygrywa im złota harfa.

Jack, Jill and their mother now spend their days,
Singing songs and rhymes that the golden harp plays.

British Library Cataloguing-in-Publication Data:
a catalogue record for this book is available
from the British Library.
First published 2004 by Mantra
This edition 2011
Global House, 303 Ballads Lane, London, N12 8NP
www.mantralingua.com